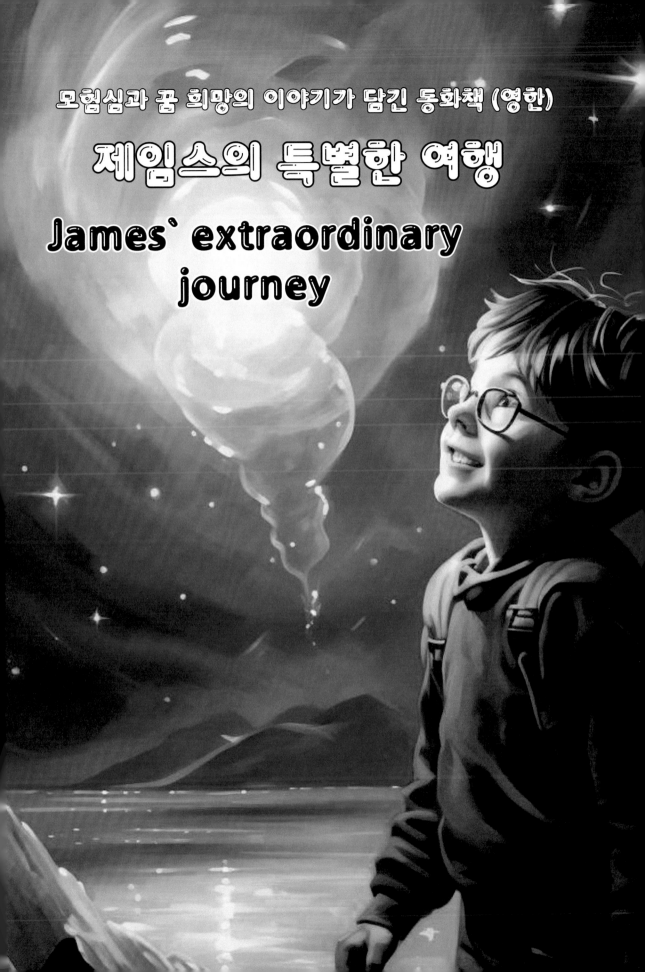

발 행 | 2024년 2월 21일

저 자 | 조옥남

펴낸이 | 한건희

펴낸곳 | 주식회사 부크크

출판사등록 | 2014.07.15(제2014-16호)

주 소 | 서울특별시 금천구 가산디지털1로 119

SK트윈타워 A동 305호

전 화 | 1670-8316

이메일 | info@bookk.co.kr

ISBN | 979-11-410-7306-0

www.bookk.co.kr

제임스의 특별한 여행

James` extraordinary journey

Author Jo Oknam

♧ E-book Writer
♧ Children's book Author
♧ E-book Guide

As an e-book and fairy tale author, Jo Oknam collaborates with ChatGPT and Midjourney to create unique and captivating stories. She holds the qualification of an e-book guide, possessing specialized knowledge in the production and publication of e-books.

Many of her works stimulate imagination and impart various experiences and lessons to young dreamers. She is passionately active in making the threshold of becoming a writer more accessible and strives to promote her works to a wider audience.

♧ Works:
《Sunshine Stationery Tales》
- E-book on U-Paper
《James's Special Journey》 (English-Korean)
 - E-book on U-Paper
《James's Fantastic Adventure》 (English-Korean)
- E-book on U-Paper
《James's Special Journey》 (English-Korean)
- Paperback by Bookk
《James's Fantastic Adventure》 (English-Korean)
- Paperback by Bookk

♧ Blog: Full of Sunshine.

저자 조옥남

♣전자책 작가
♣동화책 작가
♣전자책 지도사

 전자책과 동화책 작가로서, ChatGPT와 Midjourney와의 협업을 통해 독특하고 매력적인 이야기를 창작하고 있습니다. 전자책지도사 자격증을 취득하고 전자책의 제작과 출간에 대한 전문 지식을 보유하고 있습니다.
많은 작품들은 상상력을 자극하고 꿈나무들에게 다양한 경험과 교훈을 전달합니다. 또한 작가의 문턱을 쉽게 넘을 수 있도록 열정적으로 활동하며 많은 이들에게 작품을 알리려고 하고 있습니다.

♣저서 :
《햇살문구이야기》 유페이퍼 전자책
《제임스의 특별한 여행 (영한)》 유페이퍼 전자책
《제임스의 환상적인 모험(영한)》 유페이퍼 전자책
《제임스의 특별한 여행(영한)》부크크 종이책
《제임스의 환상적인 모험(영한)》부크크 종이책
♣블로그 : 햇살가득.

Prologue:
Set in a small house in New York, unfolds a tale where the heart and imagination of a child intertwine, leading to adventures. The life of 37-year-old father Jimmy, 7-year-old son James, and adventure-loving mother Mary unravels. The special moments shared between Mary and James reveal the preciousness of family and the discovery of courage. James embarks on a journey of self-discovery alongside his mother, amidst mountains, valleys, and wandering mysteries. The adventures sprouting from this modest household teach us how to muster courage and pursue our dreams, reminding us of the immense power of moments spent with family. And the child's heart will always continue its adventures towards new dreams and hopes. This is a warm and touching story that resonates with families, friendships, and all those chasing their dreams.

프롤로그:

뉴욕의 한 작은 집에서 펼쳐지는 이야기, 아이의 마음과 상상력이 얽히며 모험으로 나아가는 이야기. 37살의 아버지 Jimmy와 7살의 아들 James 모험을 즐기는 엄마 Mary의 삶이 풀어져 나가요. 엄마와 James의 특별한 순간들은 가족의 소중함과 용기를 발견하게 합니다. James는 엄마와 함께한 산과 계곡, 그리고 떠돌던 신비로운 여정에서 자신을 찾아나가며 성장해 나갑니다. 이 어느 작은 가정에서 피어나는 모험은 우리가 어떻게 용기를 내고 꿈을 향해 나아갈 수 있는지를 알려주며, 가족과의 소중한 순간들이 얼마나 큰 힘을 가지고 있는지를 상기시켜줍니다. 그리고 아이의 마음은 언제나 새로운 꿈과 희망을 향해 모험을 계속할 것입니다. 이는 가족과 우정, 꿈을 찾아 나아가는 모든 이들에게 전해지는 따뜻하고 감동적인 이야기입니다.

Table of Contents

목 차

Chapter 1: Quality Time with Mom

Chapter 1: 엄마와 좋은시간

In New York, 37-year-old father Jimmy and 7-year-old James lived together. James's mom, Mary, was an adventurous spirit. James loved spending time with his mom, exploring nearby mountains, fields, and amusement parks. His father was busy with work and rarely at home, so James and his mom always had a lot of fun together.

뉴욕에 사는 37살의 아버지인 Jimmy와 7살 된 James가 살고 있었어요. 아들의 엄마인 Mary는 모험심이 아주 강한 엄마였어요. James는 엄마와 그리 멀지 않은 산과 들과 놀이동산으로 놀러 다니는 것을 무척 좋아했어요. 아버지는 일로 바쁘고, 집에는 거의 없었어요. 아들은 엄마와 많은 시간을 지내며, 항상 함께 놀았어요.

Chapter 2: Mom's Accident

One day, while enjoying the beautiful flowers and playful fish in a valley, Mary accidentally injured her foot. Despite the mishap, James took care of his mom, nursing her back to health. James missed the joyful times they had in the valley.

엄마와 James는 어느날 예쁜꽃이 피고 물고기가 놀고 있는 계곡으로 놀러 갔어요 물놀이도 하고 물고기 잡기도 하며 재미나게 놀았어요. 시간 가는줄 모르고 놀다가 그만 엄마가 그만 실수로 발을 크게 다치고 말았어요.

Chapter 3: Setting off for Water Play

챕터 3: 물놀이 하러 떠나다.

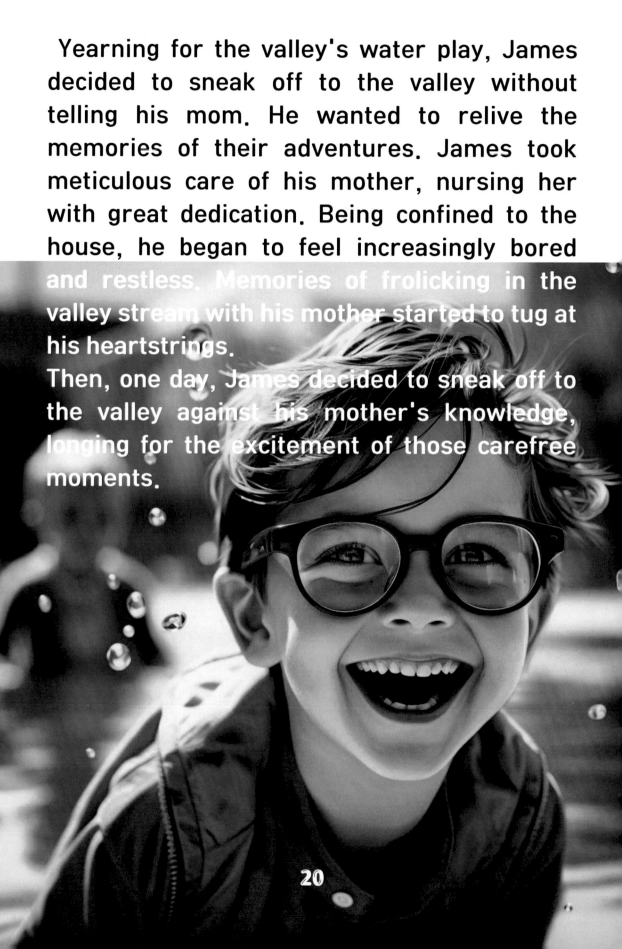

Yearning for the valley's water play, James decided to sneak off to the valley without telling his mom. He wanted to relive the memories of their adventures. James took meticulous care of his mother, nursing her with great dedication. Being confined to the house, he began to feel increasingly bored and restless. Memories of frolicking in the valley stream with his mother started to tug at his heartstrings.

Then, one day, James decided to sneak off to the valley against his mother's knowledge, longing for the excitement of those carefree moments.

James는 엄마를 돌보며 정성을 다해 간호를 해드렸어요. 집에만 있던 James는 어느날 부터 너무 심심하고 따분한 생각이 들었어요. 엄마와 같이 놀러 갔던 계곡의 물놀이가 그리워 졌어요. 그러던 어느 날, James는 엄마 몰래 계곡으로 놀러 가기로 했어요.

Chapter 4: Night in the Mountains

챕터 4: 산속에서의 밤

At the valley, James had a great time catching fish and playing in the water. Excitement took over, and he lost track of time. As darkness fell, James realized he was alone and began to feel scared. "It's so spooky," he said, wondering how he would find his way home.

계곡에서 James는 물고기도 잡고 물놀이도 하며 재미나게 놀았어요. 걱정 하며 조심 하라고 잔소리 하는 엄마도 옆에 없었어요. James는 너무 신이나서 날이 어두워 지는 지도 모르고 열심히 놀았어요. 그러다가 주위를 둘러보니 아무도 없고 벌써 깜깜해져 버렸어요. "아이무서워." James는 떨리는 목소리로 말했어요. 어떻게 집으로 가지.

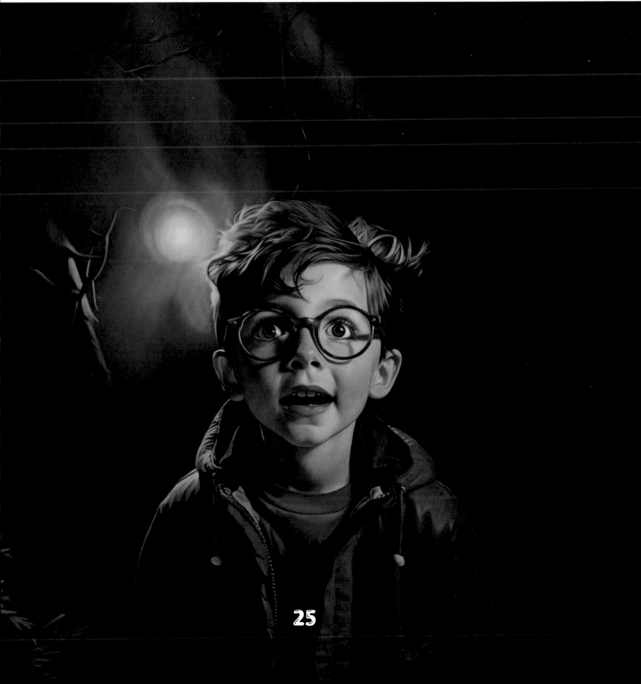

Chapter 5: Finding the Way

챕터 5: 길을 찾아서

Attempting to find his way home from the valley, James got lost. He walked cautiously, trying to remember the path he had taken.

James는 계곡에서 집으로 가려고 했어요. 하지만 길을 잃고 말았어요. "어떻게 집에 가지?" 왔던 길을 기억하며 천천히 조심조심 걷기 시작했어요.

Chapter 6: Cat's Guidance

챕터 6: 고양이의 길 안내

Suddenly, a cat appeared and seemed to beckon James, saying, "Meow, come here." The cat guided James, helping him find the way home. James felt a sense of relief following the cat.

James가 길을 찾으려 할 때, 갑자기 한 고양이가 나타났어요. "야옹, 이리 와." 고양이가 마치 James를 부르는 것 같았어요. 고양이는 James를 데리고 집으로 가는 길을 안내해 주었어요. James는 고양이를 따라가며 조금씩 안도감을 느꼈어요.

Chapter 7: Safely Home

챕터 7: 무사히 집으로

With the cat's help, James safely found his way home. However, when he arrived, his mom and dad were not back yet, causing worry. Relieved that James returned unharmed, he hugged his mom tightly.

고양이의 도움으로 James는 길을 따라서 집으로 갈 수 있었어요. 하지만 집에 도착하자, 엄마, 아빠는 늦은시간 까지 돌아오지 않는 James가 걱정이 되었어요. 마침 무사하게 집으로 돌아온 James는 엄마를 꼭 끌어안고 안도의 숨을 내 쉬었어요.

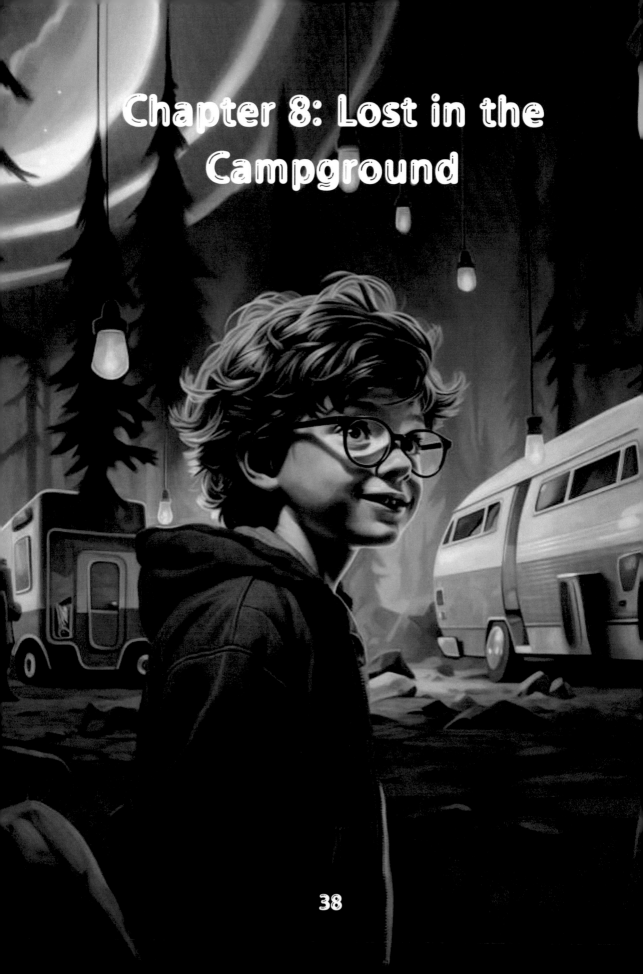

Chapter 8: Lost in the Campground

챕터 8: 캠핑장에서 길 잃고

Having safely returned from the valley water play, James decided to go on another solo adventure, this time to a campground. The place was full of friends and families, but James ventured deeper on his own, losing his way again. "What should I do now?" he wondered.

계곡물놀이에서 무사히 집으로 돌아온 James는 몇일 후 또 다시 혼자만의 놀이를 위해서 집을 나서기로 했어요. 이번에선 캠핑장이 있는 곳으로 가보기로 했어요. 캠핑장에는 엄마 아빠와 같이온 친구들도 많이 있었어요. James는 조금 더 안쪽 깊숙한 곳으로 가서 놀기로 했어요. 한참을 놀다보니 또 길을 잃게 되었어요. "이제 어떡하지?" "누군가가 또 도와줄 거야." James는 스스로 위로를 했습니다.

Chapter 9: Assistance of Rescuers

챕터 9: 구조대원의 도움

A kind rescuer appeared just when James needed help. "What are you doing here?" the rescuer asked. James shared his story, and the rescuer offered to take him safely home. Holding hands, they walked together.

그때, 한 친절한 구조대원이 나타났어요. "여기서 무엇을 하고 있니?" 구조대원 아저씨가 물었어요. James는 모든 이야기를 하고 도와달라고 했어요. 구조대원아저씨는 James를 안전하게 집으로 데려다 주겠다고 했어요. James는 구조대원 아저씨에게 감사하다고 말하며 손을 꼭 잡고 함께 걸었어요.

Chapter 10: Safely Return

챕터 10: 안전하게 귀가

With the rescuer's assistance, James safely reached home. His father, Jimmy, was overjoyed to see him, but his mom remained worried. James going to risky places alone became a constant source of concern for her.

구조대원의 도움으로 James는 무사히 집에 도착했어요. 아버지 Jimmy는 아들을 보고 너무 기뻐했어요. 하지만 엄마는 걱정이었어요. James가 자꾸만 위험한 곳으로 놀러 다니는 것이 정말 걱정되고 신경이 쓰였기 때문이예요.

Chapter 11: Zoo Adventure

챕터 11: 동물원의 모험

James received a lot of scolding from his parents, but he gained the courage to find his way home. So, this time, he decided to go on a trip to the zoo. Curious as ever, James wandered around the zoo, but once again, he ended up getting lost. Yet, the various animals in the zoo came to James's aid. They showed him the safe path, and with the help of the animals, James was able to find his way out of the zoo.

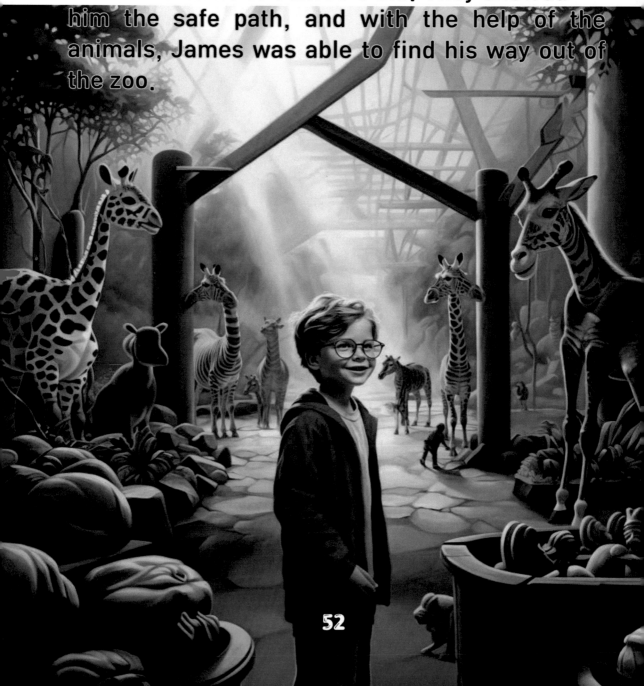

James는 엄마와 아빠에게 많은 꾸중을 들었지만 집을 잘 찾아올수 있다는 용기가 생기게 되었어요. 그래서 이번엔 동물원으로 구경 가기로 했어요. 동물원에서도 호기심 많은 James는 이곳저곳을 구경하다가 또 길을 잃고 말았지 뭐예요. 이번에도 동물원의 여러 동물들이 James를 도와 주었습니다. 동물들은 James에게 안전한 길을 알려주었어요. James는 동물들의 도움으로 동물원을 빠져 나올 수 있었어요.

Chapter 12: Friends in the Forest

챕터 12: 숲속의 친구들

The next morning, James met a friendly squirrel in the forest, guiding him along a safe path. The forest was peaceful, and James marveled at its natural beauty. The squirrel shared nuts and pine nuts with James, helping him find a secure route.

다음날 아침, James는 숲속에서 친절한 다람쥐를 만났어요. 다람쥐는 James를 안전한 길로 안내했지요. 숲속은 조용하고 평화로웠어요, James는 자연의 아름다움에 감탄했어요. 다람쥐는 James에게 호두와 잣을 주며 안전하게 길을 알려주었어요.

Chapter 13: Hidden Treasure

챕터 13: 숨겨진 보물

While exploring the forest, James discovered a treasure map. Curious, he followed the map and found an old box containing a book and coins. "Oh, it's a treasure!" James exclaimed.

James는 숲에서 보물지도를 발견했어요. "이게 뭐지?" James는 궁금해 했어요. 지도를 따라 그는 모험을 시작했어요. 길을 따라가다 James는 낡은 상자를 발견했어요. 상자 안에는 오래된 책과 동전이 있었어요. "아 보물이야!" James가 크게 외쳤어요.

Chapter 14: Magical Garden

챕터 14: 마법의 정원

James stumbled upon a secret garden full of beautiful flowers and butterflies. "This place is like magic!" he exclaimed. In the garden, he encountered a gentle fairy who revealed the secrets of the garden to him. James learned the magic of the garden.

James는 비밀 정원을 발견했어요. 정원은 아름다운 꽃과 나비로 가득했어요. "이곳은 마법 같아!" 탄성을 질렀어요. 정원에서 James는 다정한 요정을 만났어요. 요정은 James에게 정원의 비밀을 알려주었어요. James는 정원의 마법을 배울 수 있었어요.

65

Chapter 15: Starlight Festival

챕터 15: 별빛 축제

A starlight festival took place in the village. James participated in the festivities, enjoying fireworks and dancing. "This is the first time something so beautiful has happened!" James remarked. His laughter echoed in the night sky.

마을에서 별빛 축제가 열렸어요. James는 별빛 축제에 참여했어요. 축제에서 불꽃놀이와 춤이 있었어요. "이렇게 아름다운 건 처음이야!" James가 말했어요. 그는 축제의 모든 순간을 즐겼어요. James의 웃음소리가 밤하늘에 울려퍼졌어요.

Chapter 16: Time Traveler

챕터 16: 시간 여행자

James met a time traveler who asked, "Where would you like to go?" Choosing to travel to the past, James explored the village's history. "Was our village really like this?" he wondered. The past adventure opened his eyes to a new world.

James는 시간 여행자를 만났어요. "너는 어디로 가고 싶니?" 여행자가 물었어요. 아이는 과거로 여행하기로 결정했어요. James는 과거의 마을을 탐험했어요. "우리 마을이 이렇게 달랐었나?" James가 놀라워 했어요. 과거의 모험은 그에게 새로운 세상을 보는 눈을 열어줬어요.

Chapter 17: Test of Courage

챕터 17: 용기의 시험

James faced a test of courage when confronted with a challenging problem. "I can do it!" he encouraged himself. After solving the problem, James grew even stronger. "I can overcome anything!" he declared loudly, inspiring the hearts of all children.

James는 용기를 시험받게 되었어요. 그는 어려운 문제에 맞닥뜨렸어요. "나는 할 수 있어!" James가 스스로를 격려했어요. 문제를 해결한 후, James는 더욱 강해졌어요. "나는 어떤 것도 이겨낼 수 있어!" James가 큰소리로 외쳤어요. James의 용기는 세상 모든 어린이들의 마음을 뜨겁게 만들었어요.

Chapter 18: Secret of the Hidden Island

챕터 18: 숨겨진 섬의 비밀

James embarked on an adventure to a hidden island. The island was filled with mysterious landscapes. "This is truly a different world!" he marveled. On the island, James encountered rare animals and discovered the island's secret. "We must protect this place," James said.

James는 숨겨진 섬으로 모험을 떠났어요. 섬은 신비로운 풍경으로 가득했어요. "여기는 정말 다른 세상이야!" 그는 감탄했어요. 섬에서 James는 희귀한 동물들을 만났어요. 섬의 비밀을 발견한 James는 놀랐어요. "우리는 이곳을 지켜야 해." James가 말했어요.

Chapter 19: Secret of the Night Sky

Observing the night sky and exploring the secrets of constellations, James wondered, "What star is that?" Becoming curious about astronomy, he named stars and let his imagination soar. "This star shall be called 'Brave Explorer!'" he proclaimed. Under the night sky, James became captivated by the mysteries of the universe.

James는 밤하늘을 관찰하며 별자리의 비밀을 탐험했어요. "저 별은 무슨 별일까?" James는 무척 궁금 했어요. 천문학자가 되어 별에 이름을 붙이며, James는 상상의 나래를 펼쳤어요. "이 별은 '용감한 탐험가'라고 부르자!" James가 혼자 말 했어요. 밤하늘 아래에서, James는 우주의 신비에 빠졌어요.

Chapter 20: Adventure ends, New Beginning

챕터 20: 모험 끝, 새로운 시작

On the final day of the adventure, the child returned home. "I must remember everything I've learned," James said. Upon reaching home, the child shared the stories of the adventure with family and friends. "Now, it's a new beginning!" James expressed with eager anticipation. While the adventure had concluded for James, new dreams and hopes continued to unfold.

모험의 마지막 날, 아이는 집으로 돌아왔어요. "내가 배운 모든 것을 기억해야 해." James가 말했어요. 집에 도착한 아이는 가족들과 친구들에게 모험의 이야기를 들려주었어요. "이제 새로운 시작이야!" James가 기대에 찬 목소리로 말했어요. James의 모험은 끝났지만, 새로운 꿈과 희망은 계속됐어요.

에필로그:

 모험의 끝, James는 자신의 무한한 상상력과 용기를 통해 새로운 세계를 탐험했습니다. 집으로 돌아온 그는 가족과 친구들에게 이야기를 나누었고, 지난 여정에서 얻은 많은것들의 관찰과 경험을 공유했습니다. 새로운 시작을 맞이한 James는 지금까지의 모험을 통해 얻은 지혜를 삶에 적용하며 더욱 강해진 남자아이로 거듭났습니다.

새로운 일상에서도 James는 자연과 우정, 가족의 소중함을 깨닫고 이를 지키기 위해 노력했습니다. 그들의 모험은 끝이 아니라 시작일 뿐이었고, 앞으로도 계속해서 무한한 가능성과 새로운 모험을 찾아 나설 것입니다.

끝나지 않는 여행은 언제나 마음을 자극하고, James는 그 여정을 통해 자신을 찾아가고 성장했습니다. James의 이야기는 새로운 도전과 꿈을 꾸는 어린아이들에게 영감을 주며, 끊임없는 모험의 아름다움을 전합니다. 그리고 마치 한 장의 새로운 챕터가 열리듯, 미지의 세계와 무한한 가능성을 향해 James의 여정은 계속됩니다.